Aotromachd agus

Lightness and other poems

Aotromachd agus dàin eile

Lightness and other poems

Meg Bateman

Polygon
EDINBURGH

Published by
Polygon
22 George Square
Edinburgh

Set in Sabon by Hewer Text Composition Services, Edinburgh
Printed and bound in Great Britain by
Short Run Press, Exeter

A CIP record is available for this title.

ISBN 0 7486 6227 8

Chuidich Comhairle nan Leabhraichean
leis na cosgaisean

The Publisher acknowledges subsidy from the
Gaelic Books Council
towards the publication of this volume.

CLAR-INNSE

Tha na dàin gu ìre mhòr san òrdugh
san deach an sgrìobhadh bho 1984

CONTENTS

The poems are arranged more or less in the order
in which they were written since 1984

TAING
ACKNOWLEDGEMENTS

Chaidh cuid de na dàin anns a' chruinneachadh seo fhoillseachadh anns na leanas/*Some of the poems in this collection have been published in the following:*

Irisean/*Journals: Chapman, Fox, Gairfish, Gairm, Innti, Lines Review, Poetry Ireland Review, Scratchings, Scrievins, Verse.*

Duanairean/*Anthologies: An Aghaidh na Sìorraidheachd/In the Face of Eternity,* ed. Christopher Whyte; *Dreamstate,* ed. Donny O'Rourke; *Fresh Oceans* (Stramullion); *Internal Landscapes,* ed. Sheena Erskine; *Other Tongues,* ed. Robert Crawford; *Peacock Blue* (The Six Towns Poetry Festival); *Scottish Women Poets,* ed. Catherine Kerrigan; *Twenty of the Best,* ed. Duncan Glen.

Cruinneachaidhean/*Collections: Orain Ghaoil/Amhráin Ghrá* (Coiscéim), in Gaelic and Irish.

Bu mhath leam taing a thoirt dha na daoine a dheasaich agus a dh'fhoillsich na tha shuas, cho math ris na daoine a chuir air dòigh leughaidhean bàrdachd dhomh agus na caraidean a tha air mo bhrosnachadh. A thaobh an leabhair sa, feumaidh mi taing shònraichte a thoirt do Richard Cox agus Iain Domhnallach aig Comann nan Leabhraichean a cheartaich an làmh-sgrìobhainn. 'S mi fhin as coireach airson mearachd sam bith a dh'fhanas.

I would like to thank the editors and publishers of the above, as well as the organisers of poetry readings and the friends who have encouraged me over the years. For this particular volume, I must thank Richard Cox and Iain MacDonald of the Gaelic Books Council for correcting the manuscript. Any remaining errors are my own.

Gàrradh Moray Place, an Dùn Eideann

Duilleagan dubha air an fheur,
fàileadh searbh na cloiche taise,
sop odhar de cheò
ga ìsleachadh mu na craobhan;
a' coimhead a-mach à bròn,
mòr-shùilean m' athar,
duilleag a' snìomh gu làr –
gluasad m' aigne.

Mun cuairt, coire thaighean drùidhteach,
comharra aois glòir-mhiannaich,
òrduighean cholbh clasaigeach
nach aithnich laigse san duine.

Gàrradh tathaichte aig bantraichean
fàilligeach, neo-eisimeileach,
a' coiseachd ann an cianalas an làithean,
an uallaichean ceilte.

Ach cluinnear an seo gliongartaich
coilearan chon grinn-cheumnach,
is chithear, fa chomhair nan taighean,
meanbh-dhuilleagan soilleir
gan leigeil sìos gu sèimh
aig a' bheithe chiùin, chuimir.

Moray Place Gardens, Edinburgh

Black leaves on the grass,
an acrid smell of damp stonework,
a wisp of ochre fog
lowering itself around the trees;
looking out from sorrow,
my father's great eyes,
a leaf spinning to the ground –
the motion of my spirits.

All round, a cauldron of imposing houses,
sign of an ambitious age,
orders of classical columns
that do not countenance human frailty.

Gardens haunted by widows,
failing, independent,
walking in the wearisomeness of their days,
their burdens concealed.

But tinkling is heard here
from the collars of the neat-stepping dogs,
and against the houses
tiny bright leaves are seen,
with the shapely birch tree
gently letting them go.

A chionn 's gu robh mi measail air

Thigeadh e thugam
nuair a bha e air mhisg
   a chionn 's gu robh mi measail air.

Dhèanainn tì dha
is dh'èisdinn ris
   a chionn 's gu robh mi measail air.

Sguir e den òl
is rinn mi gàirdeachas leis
   a chionn 's gu robh mi measail air.

Nist, cha tig e tuilleadh
is nì e tàir orm
   a chionn 's gu robh mi measail air.

Because I was so fond of him

He used to come to me
when he was drunk
   because I was so fond of him.

I'd make him tea
and listen to him
   because I was so fond of him.

He stopped the drink
and I was pleased for him
   because I was so fond of him.

Now he comes no more,
indeed he despises me,
   because I was so fond of him.

Sìoladh na Gàidhlig

Thug thu tuigse dham inntinn
air sìoladh rud nach till a leithid,
air creachadh air a' chinne-daonna
nach gabh leasachadh . . .

Cailleach air bàsachadh aig baile,
ròpa d' acaire a' caitheamh;
nist tha mi a' faicinn nad shùilean
briseadh-cridhe na cùise.

The Decline of Gaelic

I had learnt from your words
of something unique dying out,
of humanity being robbed
without hope of reparation . . .

An old woman dies at home,
your mooring rope is fraying;
now I learn from your eyes
the heart-break of the matter.

Cumha Brìde, Piuthar mo Mhàthar

San t-sreath romham san t-seipeil
mo sheanmhair crùbte,
màthair a' tìodhlacadh a h-ìghne.

Aicese an dearbhadh gu bheil feum ort,
gun a leithid a bhith agam.

Aotrom, eas-urramach, geur-fhaclach, thusa
marbh, d' fhuil làn alcohoil.
Dè na dh'fhuiling thu de dhìblidheachd,
a Bhrìde, a Bhrìde,
carson nach do leig thu càil ort riamh?
M' antaidh do-cheannsaichte,
gun fhios dhuinn,
air dol fodha . . .

Teip Louis Armstrong
aig an dùnadh
mar a dh'iarr thu,
caoineadh nam ban dubha
gam chiùrradh,
gam fhàsgadh;
nist am fonn
ga thogail aig an trombaid,
's i a' seògadh
's a' mireadh
's a' magadh air ar
sòlaimteachd.

Ionmhainn do chleasan
a chuireadh car de gach pròis
de gach casg

A Lament for Biddy, my Mother's Sister

In the row in front of me in the chapel
my grandmother, crouched,
a mother burying her daughter.

Hers, the certainty that you are needed;
I have nothing of the sort.

Giddy, irreverent, ribald, you
dead, your blood full of alcohol.
What had you to put up with,
Biddy, Biddy,
why did you never let anything on?
My indomitable aunt,
without warning,
sunk.

Louis Armstrong's tape
at the end
as you wanted,
the black women's keening
hurting me,
wringing me;
now the tune
taken up by the trumpet,
swinging,
teasing,
mocking our
solemnity.

Beloved your pranks
that overturned every pompousness,
every restraint

is cronachadh . . .
mo chiad leasain
ann an carthannas.

Tha a' ghrian a-nist gun ghile
is am feur gun ghuirme,
a' ghaoth gun tiamhachd,
a' mhuir gun fhiadhaicheachd . . .

Ach socair,
gàireachdaich
fad' às,

a' magadh air m' àrd-ghlòir.

and censure . . .
my first lessons in
kind-heartedness.

The sun has lost its brilliance
and the grass its lusciousness,
the wind its plaintiveness,
the sea its ferocity . . .

But hush,
laughter
far away,

mocking my grandiloquence.

Pàrtaidh

Mu dheireadh an dèidh mhìosan
tha mi rithist a' cluinntinn do ghàire,
is tron t-sluagh chì mi d' aodann loinneil
is gràs gluasad do làmhan;
ach cha tèid mi a-null thugad
a ghabhail do naidheachd,
oir chuirinn-sa sgàil nad shùilean soilleir
is theicheadh m' aisling de d' uallachd.

Party

At last after months
I hear your laughter again,
and through the crowd I see your lovely face
and graceful gestures;
but I won't go over to you
and ask for your news,
for I'd cast a shadow in your clear eyes
and my vision of your lightsomeness would vanish.

Dh'fhosgail thu mo chridhe

Dh'fhosgail thu mo chridhe
do gach bòidhchead –
do bhòidhchead solais
is ciùil
is cneasdachd,
is do bhòidhchead do ghaoil-sa
nach urrainn dhomh a ghleidheadh
is fhathast nach ceadaich fear eile dhomh.

You opened my heart

You opened my heart
to every beauty –
to the beauty of light,
of music,
of humanity,
and to the beauty of your love
that I cannot hold
and yet allows me no other.

Ceist

Bheirinn a' ghrian dhut 's a' ghealach
is reultan na h-iarmailt gu tur –
ciamar, mar sin, as leòr dhomh
mi fhìn a thoirt dhut?

Question

I'd give you the sun and the moon
and all the stars –
how then is it enough
to give you myself?

Chan innis mi dhut

Chan innis mi dhut
gu bheil mi air ais an seo –
tha sin fada seachad.

Ach tha an t-àite gu mionaideach
gad dhùsgadh nam chuimhne –
is tusa tùs mo thlachd a-nochd,
a' toirt dùbhlan do chaochladh tìme.

I won't tell you

I won't tell you
that I'm back here –
that's all long over.

But in every detail
the place evokes you –
you are the source of my joy tonight,
challenging time's changes.

An dèidh an Tòrraidh

Tha a' bhantrach na seasamh aig an doras,
a ceann an taic a' bhalla.
Tha gach rud sàmhach.
Tha na h-aoighean air am biathadh
is a' mhòr-chuid air falbh,
am bàgh 's am baile glas glas,
's na bàtaichean-iasgaich a' gabhail a-mach gun fhuaim.
Cluinnidh i còmhradh nam bana-chàirdean sa chidsin
is na bodaich, len dramannan,
a' bruidhinn air beatha dheagh-bheusach.
'Ann an dòigh 's e latha toilicht' a bh' againn,'
tha i ag ràdh, a' coimhead a cuid mhac,
is aogas athar ann an aodann gach fir dhiubh.

Gu h-obann sàthaidh a' ghrian a-mach
bannan liomaid-bhuidhe
thar nan raon de dh'fhochann gruamach,
is sguabar dràgonan ceathach an-àirde
's air falbh thar a' bhàigh,
is mar a thionndaidheas i a-staigh
chithear fhathast mu h-aodann
gaol an fhir mhairbh air an àit'.

After the Funeral

The widow stands at the door
and leans her head against the wall.
All is quiet.
The guests are fed
and mostly gone,
and the sea and the town are grey, grey,
with the fishing boats silently putting out.
She hears the talk of the women in the kitchen
and the old men with their drams
discussing a life well lived.
'It's kind of been a happy day,'
she says, looking at her boys,
each with his something
of his father in his face.

Suddenly the sun stabs out bars
of lemon-yellow light
over the fields of glowering corn,
dragons of mist are whisked up
and away across the bay,
and as she turns back to the house
you can still see in her face
the dead man's love for it all.

Mar na dìtheanan beaga grianach seo

Mar na dìtheanan beaga grianach seo
d' aighear 's do ghàire,
mar an osag a' mire san t-seasgann
do chòmhradh sùrdail uallach,
mar bhreacadh nan sgòthan thar na riasglaich
na solais nad shùilean àlainn,
is mar an stoirm air an fhàire cheathaich
mo mhiann bhruthainneach fo bhruaillean.

Like these tiny sunny flowers

Like these tiny sunny flowers
your joy and your laughter,
like the breeze rippling through the sedge
your playful talk,
like the dappling of the clouds on the moor
the lights in your lovely eyes,
and like the storm on the hazy skyline
my sultry desire in turmoil.

Fios

Chuala mi sa mhadainn
gu bheil thu a' dol bàs,
nach mair thu, neo 's neònach,
gu ruig am foghar.

Bheir am fios a dh'aon àm orm
caoineadh is dannsadh,
is maothalachd an earraich sa
gu grad a' tighinn fa-near dhomh.

News

I heard this morning
that you are dying,
that you'll probably not live
to see the autumn.

The news simultaneously
makes me weep and dance,
the tenderness of this spring
suddenly brought to my attention.

Judy

Isd,
tha i an seo aig an teine,
na cadal cruinn air na pilleanan.

Lorgaidh tu sgàil
gach ruisg
air a gruaidh chorcra,
is an loidhne làidir seo
na ruith thar slèisde 's cruachainn 's cuim,
agus cruinne làn a calpannan,
O, is cruinne mheuranta a h-òrdagan . . .
seall mar a bhriseas às ùr innte
bòidhchead àrsaidh na h-ìghne òige.

Judy

Hush,
she's here at the fire,
curled up asleep on the cushions.

You can trace the shadow
of every lash on her scarlet cheek,
and the strong line
running over thigh and hip and waist,
and the full roundness of her calves,
and ah! the tiny roundness of her toes . . .
look how there breaks in her anew
the ancient beauty of a young woman.

An e seo an cridhe?

An e seo an cridhe
a thug mi dhut gu h-uaibhreach,
nach briosg an-diugh ri d' aighear,
nach guidh dhut soirbheas fuasglaidh;
an cridhe èitigh crìon seo
a tha a' feuchainn na bhruaillean
ri lèireadh 's ri coireachadh
na mheasas e as luachmhoire?

Is this the heart?

Is this the heart
I gave you with every pride,
that today won't quicken to your joy
or invoke for you a favourable wind:
this dismal little heart
that's trying in its misery
to wound and to arraign
what it holds most dearly?

Tha ceann casarlach mo leannain

Tha ceann casarlach mo leannain
mìn rim amhaich,
's mo chorragan nan ruith thar a lethchinn
's a' slìobadh a bhilean cadalach;

Ach is mìne fhathast mala
an fhir agus a ghaol air fuaradh,
nach cuimhnich a-nochd ar n-aighear
is gàirdeanan eile ga shuaineadh.

My lover's curly head

My lover's curly head
is soft against my neck,
as my fingers run down his cheek
and stroke his sleepy lips;

But softer yet the brow
of the one whose love has grown cold,
who tonight will not recall our joy
as he lies in other arms.

Tòrradh sa Gheamhradh

Tha an cràdh a' sgoltadh d' aodainn
mar a tha an uaigh a' sgoltadh na talmhainn
is brùchdaidh mo ghaol dhut a-mach
amh-dhearg
mar na fleasgan nan laighe air an reothadh.

Winter Funeral

Pain makes a gash in your face
as the grave gashes the ground
and my love for you bursts out
red-raw
like the wreaths lying on the frost.

Rut san Ospadal

Cearcall air chearcall
nì do chorrag air mo bhriogais –
saoghail nach fhaic mi,
ceòl nach cluinn mi . . .

Beag air bheag
tha a' chloc air a' bhalla
a' sreap ris an uair.
Cuiridh mi do làmh far mo ghlùine.
''S fheàrr dhomh falbh,'
is tha do chorp nam ghàirdeanan
mar liùdhaig.

Boireannach trom aosda
a' tarraing gun fhiosda tro na sràidean dorcha,
geumnaich bho bhuaile an taigh-spadaidh,
fulangas is feitheamh,
och am feitheamh 's am fulangas,
och thusa, thusa –

Maith dhuinn, a Dhia.

Ruth in Hospital

Round and round
goes your finger on my trousers –
worlds I can't see,
music I can't hear . . .

Little by little
the clock on the wall
struggles towards the hour.
I set your hand from my knee.
'I'd better go,'
and your body in my arms
is like a rag-doll.

An old heavy woman
shuffling unnoticed through the dark streets,
lowing from the slaughterhouse pens,
suffering and waiting,
oh, the waiting and the suffering,
oh, you, you –

God, forgive us.

Fhir luraich 's fhir àlainn

Fhir luraich 's fhir àlainn,
thug thu dàn gu mo bhilean,

Tobar uisge ghil chraobhaich
a' taomadh thar nan creagan,

Feur caoin agus raineach
a' glasadh mo shliosan;

Tha do leabaidh sa chanach,
gairm ghnilbneach air iteig.

Tha ceòban cùbhraidh na Màighe
a' teàrnadh mu mo thimcheall,

'S e a' toirt suilt agus gutha
dham fhuinn fada dìomhain,

Fhir luraich 's fhir àlainn,
thug thu dàn gu mo bhilean.

O bonnie man, lovely man

O bonnie man, lovely man,
you've brought a song to my lips,

A spring of clear gushing water
spilling over the rocks,

Soft grasses and bracken
covering my slopes with green;

Your bed is in cotton-grass
With curlews calling in flight,

Maytime's sweet drizzle
is settling about me,

Giving mirth and voice
to my soils long barren,

O bonnie man, lovely man,
you've brought a song to my lips.

Dealbh mo Mhàthar

Bha mo mhàthair ag innse dhomh
gun tig eilid gach feasgar
a-mach às a' choille dhan achadh fheòir –
an aon tè, 's dòcha,
a dh'àraich iad an-uiridh,
's i a' tilleadh a-nist le a h-àl.

Chan e gràs an fhèidh fhìnealta
a' gluasad thar na leargainn
a leanas rim inntinn, no fòs
an dà mheann, crùbte còmhla,
ach aodann mo mhàthar 's i a' bruidhinn,
is a guth, cho toilicht', cho blàth.

Picture of my Mother

My mother was telling me
that a hind comes every evening
out of the wood into the hay-field –
the same one, probably,
they fed last year,
returning now with her young.

It isn't the grace of the doe
moving across the slope
that lingers in my mind, nor yet
the two fawns huddled together,
but my mother's face as she spoke,
and her voice, so excited, so warm.

Dè 'm math dhòmhsa

Dè 'm math dhòmhsa
a bhith nam laighe fodhad,
thusa bu reul-iùil
m' uile thograidh,
's do chorp trom a-nist
gam bhrùthadh ris an talamh,
a' dubhadh às nan speuran
is lainnir reultan fad' às?

What good is it to me

What good is it to me
to be lying below you,
you who were the pole-star
that drew my longing,
with your heavy body now
crushing me to the ground,
blotting out the skies
and the lure of distant stars?

Srainnsearan

Duilleag bhàn-bhuidhe
a' tionndadh air a faillean 's a' teàrnadh,
a' fàs nas lugha, nas rèidhe,
mar d' aodann an-diugh
aig roundabouts is slipways
air na rathaidean gu deas,
a' sleamhnachadh bhuam
sìos ioma-shlighe m' aineoil.

Agus fhathast laigh thu nam ghàirdeanan
fad na h-oidhche raoir,
's dh'fhàg do chruinnead ghrinn òg
a lorg air mo bhoisean,
gam phianadh leis a' chùram
a bha air Eubha mu Adhamh,
mise boireannach gun ainm
's tusa, gille bho thuath.

Strangers

A pale-yellow leaf
turning on its twig and dropping,
growing smaller, flatter,
like your face today
at roundabouts and slipways
on the motorways south,
sliding away from me
down a labyrinth of difference.

And yet last night you lay in my arms
all night long,
and your neat young roundness
left its imprint on my palms,
hurting me with the tenderness
Eve knew for Adam,
me, an anonymous woman,
and you, some lad from the North.

Rèite

Rag, buidheach,
suidhidh an dithis Shasannach aig an tobhta,
an cù a' plosgartaich rin taobh,
is iad a' coimhead an cuid chaorach
a' sgaoileadh beag air bheag
an tòir air luibhean nan aonach –
mionnta, leanartach, roid, braoileag.

Ceumaidh fiadh a-mach às a' choille,
èiridh naosg am badeigin.

Thàinig fear air ais an-uiridh
is rinn e gal
fa chomhair làrach taigh athar
is nan giuthas gu fàire.

Tha a' ghrian a' cur fàinne òir
mun chanach
's mun dà cheann liath
aomte beagan còmhla,
is cha tàmailt am beannachadh
dha na beanntan falamh.

Reconciliation

Stiff, thankful,
the English couple rest at the ruin,
the dog panting beside them,
and they watch as their sheep move off
little by little
in search of upland plants –
thyme, tormentil, myrtle, bilberry.

A deer steps out of the wood,
a snipe rises . . .

Last year a man came back
and wept
at what remained of his father's house,
at the spruce to the skyline.

The sun is placing haloes of gold
round the cotton-grass
and the two grey heads
inclined slightly together,
and the blessing seems no insult
to the emptiness of the hills.

Gun drochaid ann

Gun drochaid ann,
chuir thu do chùl rium,
dhùin thu do chluasan rim ghuidhe,
rinn thu tàir air fochann mo dhùthcha.

Ach nan robh thu air làmh a shìneadh
bhithinn air gearradh a-null
ann an cruinn-leum thugad.

There being no bridge

There being no bridge,
you turned your back on me,
you stopped your ears to my pleas,
you disdained my plains of green corn.

But if you had stretched out your hand,
I would have leapt over to you
at one bound.

Aotromachd

B' e d' aotromachd a rinn mo thàladh,
aotromachd do chainnte 's do ghàire,
aotromachd do lethchinn nam làmhan,
d' aotromachd lurach ùr mhàlda;
agus 's e aotromachd do phòige
a tha a' cur trasg air mo bheòil-sa,
is 's e aotromachd do ghlaic mum chuairt-sa
a leigeas seachad leis an t-sruth mi.

Lightness

It was your lightness that drew me,
the lightness of your talk and your laughter,
the lightness of your cheek in my hands,
your sweet gentle modest lightness;
and it is the lightness of your kiss
that is starving my mouth,
and the lightness of your embrace
that will let me go adrift.

'S e mo ghaol a' ghrian san adhar

'S e mo ghaol   a' ghrian san adhar,
blàth dùmhail siristeach   a' bogail fo mheangan,
achaidhean sgeallaig   is achaidhean arbhair,
na fàidhbhilean làidir   a' cumail ceum ris an rathad,
na buin fhèitheach,   a' chairt ghlas-chaoin,
a' ghaoth a' siùdadh   nan duilleagan tana.

Thar nan similear san fheasgar   fead nan gobhlan-gaoithe,
's iad a' ruidhleadh, 's a' teàrnadh,   a' tuiteam dhan doimhne
far an snàmh na cuileagan   am froidhneas fo na craobhan;
sna gàrraidhean sgàthach   a' chòinneach a' boillsgeadh,
na rèilichean còmhdaicht'   le liath-chorcra loinneil
is le iadhshlait òmair,   cùbhraidh tron oidhche.

Is tron oidhche paisgidh mi   an gaol nam làmhan,
gaol cho àlainn   's gun cùm e gach àilleachd,
gaol cho socair   's nach tig an t-eagal dhan phàilliun;
tuilleadh cha chuir   am miann an ruaig orm
le sholas seargaidh,   le agartasan luaineach,
le bheul a' pògadh   am balbhachd uamharr.

Cùl mo ghràidh air a' cluasaig   m' aighear air dùsgadh,
ceann cuimir   air amhaich lùbte,
clàr aodainn   .ciùin ùrar;
tha do lethcheann de dh'òr,   d' fhalt de dh'umha,
tha sìoda bàn snìomhte   nad mhala na dhuslach,
is sròl sgaoilte   an slag mìn d' ugain.

Mar ghilead an latha   do chorp rim thaobh-sa,
m' uile shògh is sonas,   sìth is caoimhneas,
mo neart, mo mhisneachd,   mo mhiann faoilteach;
ionmhainn d' anail chagarach,   tàladh dhan t-saoghal,

50

My love is the sun in the sky

My love is   the sun in the sky,
thick cherry blossom   bobbing under boughs,
fields of mustard   and fields of corn,
the strong beech trees   keeping pace by the road,
the trunks sinuous,   the bark smooth-grey,
the wind rocking   the soft leaves.

Over the chimneys at evening   the whistle of swifts,
reeling and swooping,   dropping to the depths
where the flies float   in fringes from the trees;
in the shadowy gardens   the moss shining,
the railings covered   with luminous lilac
and amber honeysuckle,   fragrant through the night.

And through the night   I hold love in my arms,
love so lovely   it holds all loveliness,
love so gentle   fear cannot enter its dwelling;
no more will desire   put me to flight
with its withering light,   its restless demands,
its mouth kissing   in dreadful muteness.

My love's head on the pillow   is my joy on waking,
a shapely head   on curving neck,
a calm face   light and fresh;
your cheek is of gold,   your hair of copper,
pale silk is woven   through your brows like dust,
and satin spread out   in your collar-bone's hollow.

Like the brightness of day   your body beside me,
all my ease and bliss,   my peace and tenderness,
my strength, my courage,   my eager desire;
beloved your whispered breathing   that would soothe the world,

ionmhainn do ghàirdeanan,   m' acarsaid fhaodail,
ionmhainn gach òirleach dhìot,   mo chuid ri caomhnadh,

     nad uchd thig mi gu tàmh.

beloved your embrace,   a harbour chanced on,
beloved every inch of you,   my lot to cherish,

     in your arms I'll come to rest.

Ged a sguabadh bhuam na h-uile

Ged a sguabadh bhuam na h-uile
a bhuilich an gràdh na lànachd,
chan olc leam dinneadh an reothairt
no pian is tosd a thràghaidh,

Oir sheòl mi sàl air òradh,
na chlàr lòghmhor neo-chrìochnach,
is nuair a dh'fheuch mi a thomhas
fhuair mi sonas gun ìochdar,

'S mi ruith ron ghaoith mhiannaich,
m' eathar fo iarmailt reultaich
an tòir air gach sòlas san t-saoghal
gus a thaomadh an uchd m' eudail.

Though everything has been swept away

Though everything has been swept away
that love granted at its fulness,
I do not regret the onrush of the tide
or the pain and silence of its ebbing,

For I've sailed a sea turned gold,
a gleaming plain without limit,
and when I tried to gauge its depth
I found no bottom to my bliss,

Running before the darling wind,
my boat under a star-filled sky,
in search of every delight in the world
to pour out in my treasure's lap.

Oran sa Gheamhradh

Chan eil stàth bhith toirt seachad gaol gun iarraidh,
gaol do-sheachnadh a nochdas na iargain

Thar rèidhleanan m' eòlais, madainn air mhadainn,
mar a thig deigh dha na claisean, reothadh dhan asbhuain.

Searbh an ceathach a' sleuchdradh nam bruthach,
goirt sgrìob a' chroinn ag iadhadh nan tulach.

Thig, a shneachd, thig, còmhdaich na slèibhtean,
rag an talamh an cridhe na pèine;

Còmhdaich na sliosan, còmhdaich a' ghiùthsach,
còmhdaich an raineach 's a' bheithe ghlas rùisgte;

Còmhdaich an druim far 'an do ruith an fhalaisg,
còmhdaich na sruthan 's an luachair thana;

Falaich luimead nam mòintichean cuimir,
leig le dearmad tuiteam air sòghalachd cuimhne.

Song in Winter

There is no point giving unwanted love,
inevitable love that appears in its anguish

Over all I know, morning after morning,
as ice comes to ditch, frost to stubble.

Bitter the fog daubing the braes,
raw the plough's furrow scoring the knolls.

Come, snow, come, cover the hills,
numb is the soil at the heart of pain;

Cover the slopes, cover the pinewoods,
cover the bracken and leafless birch-scrub;

Cover the ridge where the heath-fire ran,
cover the streams and dank rush beds;

Hide the bareness of the shapely moors,
let oblivion fall on voluptuous memory.

Do Leanabh gun Bhreith

Cha tusa toradh na dùrachd,
cha tusa an dùil air a coilionadh,
thusa a ghineadh gun aire –
aiteal de dh'aithneachd eadar coigrich.

Tha an t-abhall crom anns a' ghaillinn,
a bhlàth ga shracadh bho na geugan,
tha an sneachd ga dhinneadh thar na dùthcha,
na cleiteagan gam mùchadh sna cuantan.

A naoidhein, air ar saoghal dèan tròcair,
gabh ort cor mìn-bhreòite nan daoine
san t-soininn aoibhinn shàmhach
a tha am broinn do mhàthar a' sgaoileadh.

To an Unborn Child

Not you the fruit of hope,
not you the fulfilment of promise,
child conceived without thought –
glimmer of recognition between strangers.

The apple-tree bends in the storm,
its blossoms torn from the branch,
snow drives across the land,
flakes smothered on the waves.

Child, pity our world,
take on mankind's fair frailty
in the bright joyful calm
that spreads through your mother's womb.

Earrach Pòlach

Bha na cearcan a' sgròbadh san ubhalghort
's mi a' coimhead an treabhaiche
a' dlùthachadh orm leis an each.

Dh'fhàg sinn slàn aig a chèile
aig ceann na sgrìoba, is dh'fhalbh iad
a-rithist tro chathadh bhileagan.

Mìltean air falbh aig an taigh,
's ann an cuingleachadh mo chridhe
a dh'aithnicheas mi na h-ùbhlan ag at.

Polish Spring

The hens scratched in the orchard
as I watched the ploughman
coming towards me with the horse.

We took leave of each other
at the end of the furrow, and they
turned back through drifting petals.

Miles away at home,
it is in the tightening round my heart
that I feel the apples swelling.

Ròs

Mo chridhe lom,
na caoin do ròs,
na caoin do bhlàthachadh
grad, corcra,
na caoin do bhileagan boga briste
a' tuiteam tè mu seach
gun fhios aig duine.

Tha d' àilleachd na leug air bathais an òigeir,
tha do chùbhraidheachd na h-ortha ri uchd,
is fada bhuam
an gaol fhathast ga iadhadh,
ga phògadh le bilean buadhmhor eile.

Rose

My stripped heart,
don't weep for your rose,
don't weep for your blooming
sudden, crimson,
don't weep for your soft, broken petals
falling unnoticed,
one by one.

Your beauty is a jewel on the young man's brow,
your fragrance a charm at his chest,
as far away
love holds him still,
kissing him with other triumphant lips.

Gu luathghaireach aoibhinn laighinn leat

Gu luathghaireach aoibhinn laighinn leat, a luaidh,
do cheann tùrsach na eudail nam uchd,
mura b' adhbhar bròin mi paisgte nad làmhan –
dearbhadh cinnteach air smàladh do mhiann.

Oh, gladly, gladly would I lie with you

Oh, gladly, gladly would I lie with you, my darling,
your sad head a treasure in my breast,
if, held in your arms, I were not part of your grief –
certain proof of the smooring of your dreams.

Oidhche Cogadh a' Ghulf

Bha an seòmar ciùin geal mar eaglais
nuair a dhùisg mi an-diugh 's mo ghaol ùr rim thaobh,
a chuinnleinean a' lasadh an solas na maidne,
is tharraing mi a cheann rim uchd
air tuil toileachais
cho buidhe 's cho fàsmhor ris a' chiad latha.

A-nochd spreadhaidh na bomaichean (san dol seachad)
beòil a dheoghail bainne bho chìch,
buill a dh'fhàs cruinn air bàrr na talmhainn,
's iad a' sracadh stuth na sìth' –
feòil ar carthannais,
a' slaodadh fiù 's nan eun geala a-nuas dhan drabasdachd.

On the Eve of the Gulf War

The room was quiet and white like a church
when I woke today, my new love at my side,
his nostrils flaming in the morning light,
and I drew his head to my chest
on a flood of happiness
as golden and expansive as the first day.

Tonight (in the passing) bombs blast away
mouths that sucked milk from breast,
limbs that grew round on the crops of the earth,
ripping the stuff of peace –
the flesh of our humanity,
dragging even the white birds down in the obscenity.

Leigeil Bhruadaran Dhìom

Tha am feasgar ciùin,
an t-adhar san uinneig
gun smal . . .
Isd, m' eudail,
na bruidhinn an-dràsd,
tha taibhsean a' dol siar.

Chan e fear àraidh a chaoininn
ach beatha de mhiann,
gach roghainn neo-thaghte gam thrèigsinn
air do shàillibh, fhir bhàin.

Dèan caithris leam
gus an tèid iad à sealladh.
Cha tig iad nar dàil, oir
is euchdaiche na iadsan
do shìol nam bhroinn, is dèine
bhios gul ar ciad-ghin
nuair a thogas tu e os àird.

A Letting Go of Dreams

The evening is calm,
the sky in the window
without stain . . .
Hush, my love,
don't talk now —
ghosts are going by.

No one man do I mourn
but a lifetime's longing,
every unmade choice slipping from me
because of you, fair man.

Watch with me
till they are out of sight.
They will not hurt us, for
more potent than they
your seed in my womb, keener
the cry of our firstborn
when you raise it up on high.

Dha mo Naoidhean air Ur-bhreith
(le spèis do Chatrìona NicGumaraid)

Bha dùil agam gum biodh tu agam,
nad phasgan geal nam uchd,
ri taobh na mara,
fo na craobhan,
san domhan àrsaidh ùr . . .

'S ann tha mi gad shlaodadh
tro John Lewis, Mothercare is Boots,
an tòir air bath dhut, Pampers,
pùdar Johnson, sling is pram;
an aon bhoile a-rithist an-dè:
air sgàth changing mat 's cotan,
is an càr air chall oirnn
sa char-park multi-storey.

Ach san tìde seo de dh'aodannan
a' siubhal nan shopping malls
(fad o shuaimhneas mara is coille),
aig check-out is ciudha
nochdaidh dhutsa
fàilte is bàidh.

Mo naoidhean ùr,
dh'ionnsaich thu gliocas dhomh,
mo naoidhean gaoil,
dh'ionnsaich thu dòchas dhomh,
is tu a' toirt orm
m' earbsa
a chur san linn san tug mi beò thu.

To my New-born Child
(with recognition of Catriona Montgomery)

I thought that I would have you,
a white bundle at my breast,
beside the sea,
under the trees,
in the ancient new world . . .

Instead I am lugging you
round John Lewis, Mothercare and Boots,
looking for a bath for you, Pampers,
Johnson's Baby Powder, a sling and pram;
the same madness yesterday,
for a changing mat and cotton-wool,
and the car lost
in the multi-storey car-park.

But in this tide of faces
cruising the shopping malls
(far from peace of sea or wood)
at check-out and queue
you are shown
welcome and tenderness.

My newborn child,
you've taught me patience,
my beloved child,
you've taught me hope,
as you force me
to trust in this age
in which I gave you life.

Iomallachd

Chan eil iomallachd sa Ghàidhealtachd ann –
le càr cumhachdach
ruigear an t-àite taobh a-staigh latha;
's e luimead na h-oirthir
a shàraich na daoine
is a chuir thar lear iad
a tha gar tàladh an-diugh,
na làraichean suarach a dh'fhàg iad
cho miannaichte ri gin san rìoghachd.

Och, an iomallachd, càit a bheil thu?
Càit ach air oir lom nam bailtean,
sna towerblocks eadar motorways
far am fuadaichear na daoine
gu iomall a' chumhachd,
an aon fhiaradh goirt nan sùilean
's a chithear an aodann sepia nan eilthireach
(a bha mise riamh an dùil
gum biodh an Nàdar air dèanamh àlainn).

Remoteness

The Highlands are not remote any more –
with a powerful car
you can reach the place in a day;
it is the bleakness of the coast
that wore the people down
and sent them overseas
that draws us today,
the miserable sites they left
as desired as any in the land.

Alas, remoteness, where are you?
Where but at the bleak edge of the cities,
in the towerblocks between motorways
where people are removed,
edged out from power,
the same hurt squint in their eyes
as is seen in the emigrants' sepia faces
(that I had fully expected
Nature to have made beautiful).

Leughadh Bàrdachd

Dh'fhàg mi aimhreit,
  dìth tuigse,
  droch-chàineadh
  aig an taigh.

Mi nist aig an deasg,
  làn cinnt
  gun tuigear nas fheàrr mi
  le srainnsearan.

Poetry Reading

I left discord,
   misconstruing,
   false accusations
   at home.

At the lectern now
   I'm certain
   I'll be better understood
   by strangers.

Eisdeachd

Chan adhbhraich mo chàs-sa
tuisleadh nad chuislean;
's e do bhilean a-mhàin a tha gluasad
's tu feitheamh ri cothrom
stad (sìobhalta) a chur orm
gus am faigh thu air falbh.

B' fheàirrde mi sgur de bhruidhinn
bho nach eil àite dhomh fod armachd
is nach dèan seo dhut ach seanchas
agus dearbhadh air mo ghòraiche
a bhith 'g agradh ('s tu fhathast àlainn)
a' chòrr ort an dèidh seachd bliadhna.

Confession

My difficulties cause
no faltering in your veins,
only your lips are moving,
as you wait for the chance
to cut me short (civilly)
so you can get off home.

I'd be better to stop speaking
as I have no place below your armour;
this only furnishes you with gossip
and proof of my folly
in claiming (and you still lovely)
anything more of you after seven years.

Cìocharan

An glasadh an latha
tha thu ag òl gu dian,
do shùilean ag amharc bhuat
gun bhrìgh nan duinne dhomh;
tha ùghdarras sa ghrèim
a tha aig do dhà làimh air a' chìch,
is d' òrdagan a' pronnadh mo bhlian
ri caismeachd dhìomhair.

Feasgar nì thu brìodal:
nì thu dinneadh air an t-sine,
is nì thu gàire 's i ag èirigh,
nì thu caogadh ri Dad mun cuairt oirre
is briosgaid na do dhòrn . . .

Ach a dh'oidhche
cha chuilean meata thu –
cha tàlaidh pòg air do bhilean thu
no duanag ga cagairt na do chluais –
spìonaidh do chorragan mo ghùn
agus le raoic asad dhan dorchadas
agraidh tu do chòir mar bu dual.

Breastling

In the grey of the dawn
you drink intently,
your eyes gaze ahead,
their brownness tells me nothing;
there is authority in the hold
of your two hands on the breast;
your toes knead my belly
to a rhythm of their own.

In the evenings you grow fond:
you press in the nipple
and laugh as it rises,
peeping round it at Dad
with a biscuit in your fist . . .

But at night
no tamed pup you –
no kiss on the lips can soothe you
or ditty whispered in your ear –
your fingers tear at my gown
as, roaring at the darkness,
you claim your hereditary right.

Taing dhut, a mhacain bhig

Taing dhut, a mhacain bhig,
airson gu bheil thu ann.
Bidh fiughair agam ri do ghlaodhaich
sa mhadainn; an dèidh m' obrach,
is ionann mise is nighean òg
a' dol an coinneimh a leannain.

Cha robh latha bho rugadh tu
nach d'fhuair sinn lorg air toileachas;
a dh'aindeoin bàs a' ghaoil a-staigh
is a' bhaile nach buin sinn dha a-muigh,
chuireadh an saoghal car eile
is do stòr a' sìordhol am meud.

Thank you, my little son

Thank you, my little son,
for existing.
I long for your cries
in the morning; after work
I'm like a young girl
going to meet her sweetheart.

Not a day since you were born
have we not found happiness;
in spite of the death of love at home,
and a town we do not belong to beyond,
the world has kept turning,
increasing your store.

Ath-chruthachadh
(dham leanabh)

Bha mi air m' aineoil sa bhaile ghlas seo
mus tàinig thusa;
bu bheag a tharraing mo shùl ann,
ach bithidh tusa a' cur seachad
ùine mhòr aig an uinneig, 's tu coimhead
nam fork-lifts 's nan làraidhean fodhad.

A-raoir choimhead sinn a' ghealach
na lainnir air na sglèatan,
is sa mhadainn dhùisg mi ri,
'Solas! Solas!'
an t-àite ath-chruthaichte
le grian dhearg a' gheamhraidh.

Ach is buaine òradh
do chuid sonais air an àite –
air gach lòn sa chabhsair sgàinte,
air a' chladh 's an scrapyard
a chì mi bhuam tron uinneig
a bhris thu nam sheasgachd.

Transformation
(to my child)

I was strange in this grey town
till you came;
little drew my eye,
but you stand at the window
for ages, watching
the fork-lifts and lorries below.

Last night we watched the moon
skinkling on the slates,
and this morning I woke to
'Light! Light!'
the place transformed
by the red winter sun.

But more lasting your delight's
gilding of the place –
of every puddle in the cracked pavement,
of the cemetery and scrap-yard
that I see through the window
you breached in my barrenness.

Cuireadh dhan Bheatha

Cha chuireadh dhan bheatha e seo –
bhith glacte eadar diomb
agus an t-uisge glas a-muigh.
Lìonaidh iargall an telebhisein
an neonitheachd a-staigh.
Chan eil càil coisrigte san taigh seo –
thruaill an fhearg gach rud.
Seachnaidh sinn a chèile san leabaidh –
tòn fhuar no glùn gheur –
is an leanabh stobte eadarainn,
a throighean nan cadal nam làmhan.

Cha robh mi an dùil ri seo do dhuine againn
is is goirt nach eil nas fheàrr agam
dhan leanabh aig a bheil a ghàire
na cuireadh gu beatha dhomh gach ùine.

Invitation to Life

This is no invitation to life –
to be trapped between resentment
and the grey rain outside.
The tumult of the telly
fills the silence in the flat.
Nothing is sacred here –
anger has defiled all.
In bed we avoid each other –
cold bum and sharp knee –
with the baby a barricade between us,
his feet sleeping in my hands.

I never wanted this for any of us
and it hurts I have nothing better
for the child whose smile
is my constant invitation to live.

Dealachadh

Uair 's a-rithist chanadh iad,
'Tha thu airidh air tuilleadh. Leig leis
a bheatha fhèin a chur an òrdugh . . .'
is iad a' sgrùdadh m' aodainn
mar gum bu seòrsa de dh'amadan naomh mi.

Cha b' e naomhachd bu choireach
gun do leig mi seachad gach càineadh,
is cha b' e amaideas
a chùm an droch chàradh mi
ach dòchas . . .

Dòchas dhan leannan
a dhùisg mo chuid a b' fhèarr,
dha nach d'rinn mi sòradh air aon nì . . .
Dòchas dhan athair
a bheir dèarrsadh gu sùilean a mhic . . .

Agus ge b' oil le fèin-mheas,
ge b' oil le misneachd,
cha b' iad seo a thug an dealachadh gu buil;
is ged nach robh dòigh eile ann,
cha b' e idir nach robh de ghaol ann.

Separation

Again and again they said,
'You deserve better. Let him
sort out his own life . . .'
and they'd scrutinise my face
as if I were some sort of holy fool.

It was not holiness
that made me ignore each rebuke,
nor was it foolishness
that held me in a wretched state
but hope . . .

Hope for the sweetheart
who woke in me all that was best,
to whom I grudged nothing . . .
Hope for the father
who makes his child's eyes shine . . .

And in spite of self-respect,
and in spite of courage,
these did not bring about the separation;
and though there was nothing else for it,
by no means was it that there was no love.

Do Chluasan

Nuair a bha mise is d' athair còmhla
bha do chluasan nam blàr-catha
air an cuirte an ruaig orm
na mo mhàthair gun diù;
ach chì mi bhuam iad a-nist
nam mìorbhailean meanbha –
co-dhiù bhios iad glan no salach.

Your Ears

When your father and I were together
your ears were a battlefield
on which I'd be routed
as a useless mother;
but now I look on them
as tiny miracles –
whether they are clean or grubby.

Do Fhear-Pòsda

I

An duine nach do bhuail an gaol ach aon uair,
cumaidh e grèim air a bhoile na h-acair
far an gairbhe – no mairbhe – an cuan,
aiteal taigh-solais bho eilean fad' às.

Chan ionann an duine a bhuailear gu tric,
a chlisgeas ro ionnsaigh,
cleas drongadair air tùs splaoid
's làn-fhios aige nach riaraich drama
no drama eile e,
is nach buidhe an saoghal mar an deoch,
làn fhios mun chunnart
gum fàg e air an chip-pan
is gun dùisg e ann am fùirneis.

To a Married Man

I

The one that love has only struck once,
he will keep a hold of that madness as an anchor
where the seas are at their roughest – or deadest,
the flash of a lighthouse from a far-off island.

Not so the one that love strikes often,
who recoils before its onslaught,
like a drinker starting out on a bender,
knowing fine neither this
nor the next will satisfy,
that the world is not gold like his drink;
aware of the danger
he'll forget the chip-pan
and wake up in a furnace.

II

'Cò esan dhutsa?'
faighnichear dhomh le seòltachd.

Chan uiread 's a dh'fhaodadh –
'Caraid a-mhàin, sin uile';
tha na dorsan sin dùinte,
chan ionnsaich sinn a' chànan ud;
carson mar sin a tha mi a' caoidh
fonn nach aithne dhomh?

II

'What is he to you?'
I am asked slyly.

Not as much as he could be –
'Just a friend, that's all';
those doors are closed,
we will not learn that language;
why then am I crying
for a land I do not know?

III

Fad a' gheamhraidh chùm thu ceileireadh ris na h-eòin,
ach a-nist, 's mi dràibheadh tron fhline ris a' chosta,
aithnichidh mi nach eil ann ach an luimead seo.
Chan fhaigh mi lorg air ais dhan choille
far an dèanainn mo shìneadh sa chùbhraidheachd.

Eadarainn tha na monaidhean is an cur is an cathadh
is ged nach àichinn fasgadh an taoibh thall dhut,
is ged nach àichinn càil a bharrachd dhut,
cha robh mi an dùil ri tosd an earraich sa
no ri nimh na h-aonaranachd a tha gam tholladh.

III

All winter you kept the birds singing,
but now as I drive through the sleet by the coast
I realise there is only this bleakness.
I can find no way back to the woods
where I'd stretch out in fragrance.

Between us are the hills with their snow and drift
and though I would not deny you their shelter,
though I would not deny you a thing,
I was not prepared for the silence of this spring
or the bitter loneliness blowing through me.

IV

Ionnsaichidh mi bhith coimhead air gealaich shlàin
ann an adhar òr-bhuidhe is gorm
gun smaoineachadh ort,
seach nach mise a bhitheas tu ag iarraidh
's tu sgrùdadh nan speuran.
Nach eil gille beag nam uchd
tha titheach air gach nì a th' agam dha –
glothagach sa chlais, damhan-allaidh sa bhath;
nach leòr gun coimhead sinn a' ghealach nar dithis
ged nach do bhean duin' eile rium fad trì bliadhna?

IV

I will learn to look at a full moon
in a sky of gold and turquoise
without thinking of you,
for I know it is not me you want
as you search the skies.
Do I not have a little lad in my arms
eager for everything I show him –
frogspawn in the ditch, a spider in the bath;
is it not enough we watch the moon together
though no-one else has touched me in three years?

V

Fad an latha thàinig thu eadar mo pheann
's an duilleag, 's tu dràibheadh dham ionnsaigh,
's mo ghobhal làn, furachail . . .

A-nochd chan eil eadarainn ach mìle
(thusa aig do theilidh,
mise aig mo theilidh-sa) –
an t-seann bheàrn fhanaideach
eadar an gaol as motha is as lugha,
am *Mittelschmerz* na mo bhroinn
's i a' leigeil às mo dhòchas.

(*Mittelschmerz*: goirteas plaosgadh am boireannach)

V

All day you came between my pen
and the paper, as you drove towards me,
my groin full, alert . . .

Tonight a single mile lies between us
(you at your telly,
I at mine),
that ancient, mocking gap
between the greater and lesser loved,
the *Mittelschmerz* in my womb
letting go of hope.

(*Mittelschmerz*: pain on ovulation)

VI

Nan robh beatha ùr air freumhachadh
(mar a bha mi an dùil),
bhiodh i na comharra air m' aighear
is gach ciste agam fosgailt dhut . . .
Ach mar a shileas an fhuil ghoirt seo
tha i na comharra air a' chosd
gun do thairg mi na bh' agam
às nach tug thu ach beag, 's tu pòsda.

VI

If a new life had taken root
(as I thought it had)
it would have been a mark of my joy,
of my every kist lying open to you . . .
But as this blood seeps out
it is a mark of that sore waste
that I offered my all
and you took but little, being married.

VII

Tha 'White Water' aca thall aig an fhèill
is sheas mi a' coimhead nan curach ag èirigh
's a' tèarnadh nan deann-ruith leis an eas,
agus nuair a nochd tè an dèidh tè tron smùid
gun duine innte, 's am feasgar fuar balbh,
dh'aithnich mi ìomhaigh mo chuirp fhìn,
titheach gach eas agus linne a shiubhal leat
ach gun lorg ort air an taobh sa den dùthaich.

Nas buaine na an ìomhaigh de churaich fhalaimh
tha an còmhradh leth-phàirteach a leanas air
bho latha gu latha 's mi tionndadh gu d' fhaileas,
a' sònrachadh nithean ri innse dhut an ath thuras
nach bi ann gus nach bi dùil agamsa tuilleadh riut,
gus nach tèid mi tuilleadh a thogail a' fòn
os tu a thuigeas ro cheud, ach le tìde cha tu,
agus an uair sin cha bhi mòran eile ri ràdh.

VII

They have this 'White Water' over at the fair
and I stood watching the little boats rising
and hurtle headlong down the cataract,
and as one after another emerged from the spume
with no-one on board, the evening cold and silent,
I recognised an image of my own body,
eager to travel every cataract and pool with you
but with no sign of you this side of the country.

More persistent than the image of an empty boat
is the one-sided conversation going on in my head
from day to day, with me turning to your shadow,
noting things to tell you when next I see you
which will not happen till I no longer hope to,
till I no longer move to pick up the phone
as you uniquely understand, but with time you won't,
and then there won't be much else to say.

Do Sheòras

Bhon a thuirteadh an nì do-ràidhte,
bhon a rinneadh an nì do-dhèanta,
a bheil sin a' ciallachadh
gu robh ar gaol gun stàth?
Am baoth mo chuimhne
air ceann coibhneil air a' chluasaig,
air mo thoileachas sa mhadainn
ri latha eile romhainn?
Am mearachd an gille
a thàinig asam gu daor;
mas e, an cùis-nàire
gur e d' uilinn-sa bu chruaidh dhomh?

Ach mar a dhìreas mi an staidhre dhan flat agam
an dèidh dhomh an gille thogail bhon flat agadsa
is mi cluinntinn tàirneanaich a chasan beaga stòlda
air mo chùlaibh, aithnichidh mi gur h-e tha gun stàth
buaidh ar cuid mì-rùin
nach dlùithe oirnn an-diugh air raointean tìme
na am plathadh ud de ar gaol.

To George

Since the unsayable has been said,
since the undo-able has been done,
does that mean then
that our love was groundless?
Is my memory false
of a gentle head on the pillow,
of my delight in the morning
at another day before us?
Was the boy a mistake
who came out of me at cost;
if so, am I to feel ashamed
that your elbow was my anchor?

But as I climb the stairs to my flat
after picking the boy up from your flat,
as I hear the thunder of his solid little legs
close behind me, I realise what is groundless
is the victory of our hate
that is no nearer us today on the plains of time
than that sunburst of our love.

Do Alasdair MacIlleMhìcheil

Chuir na leabhraichean agad tnùth orm
mar nach do chuir càil eile,
oir ghlac mi annta saoghal seunta,
ortha aig an tuath an cois gach gnìomha,
pàirt an urra riutha de rian dìomhair.

Ghabh mi farmad ri Heaney a bharrachd,
is acfhainn an fhearainn mun cuairt air,
na samhla air oidhirp a chuid dhaoine:
fiodh is iarann, leathar is ròp
air an caitheamh ann an dòchas dìolaidh.

A-mach leam à Safeway, na càraichean
stobte le creich às na ceithir àirdean;
a dh'aindeoin nan sanas chan eil ann
na thogas cridhe leis fhèin, is gu leòr
ga phàigheadh leis an aonaranachd.

Bidh mi feuchainn ri mo thàladh fhìn
nach robh cliù do linn-sa, Alasdair,
ach cho beannaichte ri do mhac-meanmna,
nach rachadh an tuathanach le Heaney
gum b' e samhla a dh'fheann a bhois.

Ach tha ortha ri lorg fiù 's annamsa,
chan ann gun leig na bà am bainne
bhon a tha lochan againn dheth,
chan ann airson smàladh an teilidh,
no airson teanga an eisgeir,

Ach airson de ghràs agus de mhisneachd
leis an gabh mi ris an linn sa,

To Alexander Carmichael

Your books have filled me with envy
as nothing else has,
for in them I glimpsed a charmed age,
everything done prayerfully
as part of a greater whole . . .

I have envied Heaney too,
the farm tools about him
a symbol of his people's effort:
wood and iron, leather and hemp
worn away in the hope of return.

I drive off from Safeway, the cars
stuffed with plunder from all over;
despite the adverts, nothing here
of itself can cheer the heart,
and enough is paid for in loneliness.

I have tried to console myself
that your times, Carmichael,
were only as blessed as your imagination,
that no labourer would agree with Heaney
it was a symbol had skinned his palms.

But a prayer appears even in me,
not for the letting down of milk
(we have reservoirs of the stuff),
not for the smooring of the telly,
not for the wit of the satirist,

But for the grace and the courage
for me to accept these times,

oir cha b' fhollaisiche dàn nan daoine ud
am measg salachair is fallais
na mo dhàn-sa am measg ceannachd is reice.

Thug thu dhuinn an ortha bha san àbhaist
a chluinneas mi nist an srann nam wipers,
mi a' feitheamh aig na solais, mo rèis
ga caitheamh am measg pèin agus aigheir –
an dàn a bha aig gach uile urra riamh.

for no less hidden your people's purpose,
midst sharn and sweat, than mine
in the midst of buying and selling.

You showed us the prayer in the mundane
that I hear now in the whine of the wipers
as I wait at the lights, my life
being worn away midst pain and joy –
the lot that has always been human.

Tiodhlacadh Shomhairle MhicGill-Eain

27.11.1996

Bha d' eilean gun tu beò ann fo shneachda
fhathast mar a shnaidh thu e,
is daoine s' tighinn thugad san eaglais
is cha neo-fhreagarrach am beannachadh,
oir ged a lean thu ri rian eile
cha neo-ionann an duilgheadas
a bha aig Crìosd san uaigneas sa Ghàrradh
is agad fhèin air àird a' Chuilithinn.

Ged nach buin mi dha do threubh-sa
tha mi toirt taing dha do mhàthair,
dhan Taghadh nach tug leis thu
latha foghair san fhàsach,
airson bòidhchead aodainn is eilein,
airson ceòl na pìoba is na cànain
san d'fhuair thu lorg air a' ghaisge
's air maitheadh dhur cuid àmhghair.

Ged a tha thu glaiste gu h-ìseal
is clach-chinn dhut Sgùrr Alasdair,
is fad' o chrìochan do dhùthcha
togar do dhùirn ris an aintighearnas;
ged a lathas a-nochd d' fheòil-sa
fo thalamh reòthte Sròn Dhiùirinis
nuair ghlasas na coilltean sa Chèitinn
èiridh do shunnd san t-sùghmhorachd.

The Burial of Sorley MacLean

27.11.1996

Your island under snow without you alive
was still as you had hewn it,
as people came to you in the church,
and the leave-taking was not unfitting,
for though you adhered to another order
the anguish was not dissimilar
of Christ in solitude in the Garden
and yourself on the height of the Cuillin.

Though I do not belong to your tribe
I give thanks to your mother,
to the Election that did not take you
one autumn day in the desert,
for the beauty of a face and an island,
for the music of the pipes and the language
in which you found a sense of heroism
and soothing for your people's pain.

Though you are locked below,
Sgùrr Alasdair is your headstone,
and far from the bounds of your country
your fists are raised against oppression;
though your flesh tonight will freeze
under the numb soil of Strohurnish,
when the woods flush green in May
your mirth will rise in the sappiness.